りの秘儀

スピリチュアル・エクササイズ

チベット体操

監修
岡本羽加
東洋医学博士

河出書房新社

Tibetan Exercise

はじめに

チベット体操との出会い

国内でチベット体操の第一人者・岡本羽加先生が受けた若返りの源泉

私が初めてチベット体操を知ったのは『若さの泉』（小社刊）を読んだときでした。即座に「これはいいな」と心から思ったんです。私はその当時、鍼灸師をしておりましたので、治療に来られる患者さんに、あれこれストレッチの方法をお教えしていたのですが、なかなか浸透しないし、患者さんごとに違うストレッチをお教えしていて、その指導だけでも煩雑な毎日でした。でも、この「チベット体操」ならば、6つの体操だけをお教えすればいいので、毎日の習慣にしやすく、指導の手間が省けます。そこで、私は鍼灸院にいらっしゃる患者さんにこのチベット体操を教え始めました。そうしたら、やり方に関して、ものすごくたくさんの疑問点を質問していらっしゃるわけです。私も同じような質問に何回も何回もお答えせねばならず、思わず「チベット体操の本が出ないかしら…」と思ってしまうほど。本があれば「これを読んでください！」と言ってお渡しすればいいですからね。

すると、なんと、お付き合いのある大手出版社から、チベット体操の本を出すので監修者になってほしいと依頼があったのです。思いもよらないことでびっくりしてしまいました。

これも「思いが奇縁を引き寄せるシンクロニシティ」かと思います。

チベット体操は、続けることで健康増進、アンチエイジングに効果が大きな体操ですが、望む現実を引き寄せる、第六感が冴えるなど、スピリチュアルな効果も非常に高い体操です。私の生徒さんからも、生活の中でシンクロニシティが多くなる、願望が叶いやすくなる、という声がたくさん聞かれます。

たとえば、今あなたの心が思っていることが、今の現実を作っているとしたらどうでしょう。「悪いことが起こってほしくないと思っている」場合、その心配のイメージが現実化してしまう、という矛盾が発生します。人間にとって一番難しいことは「感情のコントロール」ではないでしょうか。「思わないようにする」「考えないようにする」ということを自分の感情に命令することは誰にもできません。そこで、ネガティブな感情を浄化して、ポジティブな気持ちしか浮かばないようにする、という効果をもたらすのがチベット体操なのです。

チベット体操はチャクラのお掃除をし、チャクラを活性化するための体操です。チャクラとは「エネルギーの集中する場所」で、人間の体の中心線上に7か所存在します。このチャクラは、人のエネルギーとともに思いや気持ちもたまりやすい場所なのです。そのチャクラを活性化し、綺麗にお掃除をしてあげることで、常に新しくポジティブで前向きな私が生まれるのです。人が「考え方を前向きに変えよう」とするのは大変難しいことです。しかし、チャクラを活性化することで、人は自然とポジティブに前向きになれるのです。

さあ、皆さんも明日からチベット体操を生活に取り入れ、健康と若さと自分が望む最高の現実を手に入れてみませんか！

チベット体操協会代表
岡本羽加

DVDの使い方

付属の DVD には、本書で紹介している第 1 の儀式から第 6 儀式までを動画でわかりやすく解説。

メインメニュー画面

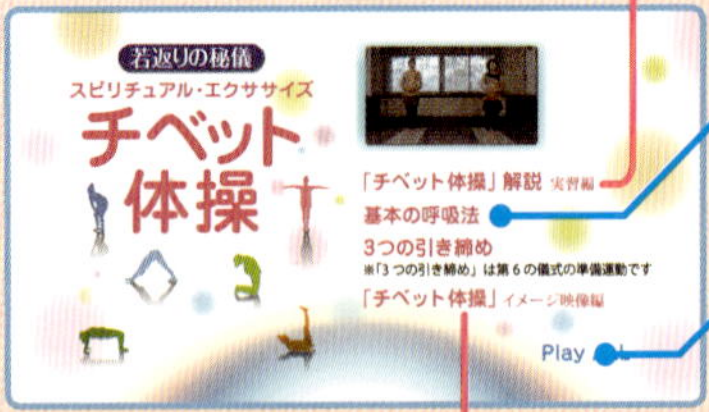

第 1 ～第 6 までのチベット体操を解説しています

コンテンツボタン

各コンテンツを選んで見ることができます。

Play all

各項目の映像を全編連続で見ることができます。

チベット体操第 1 ～第 6 までの儀式を 7 回づつ行っています。
実習編で各 3 回のチベット体操に慣れたら、イメージ映像編の各 7 回の体操にチャレンジしてみて下さい。

チャプター画面

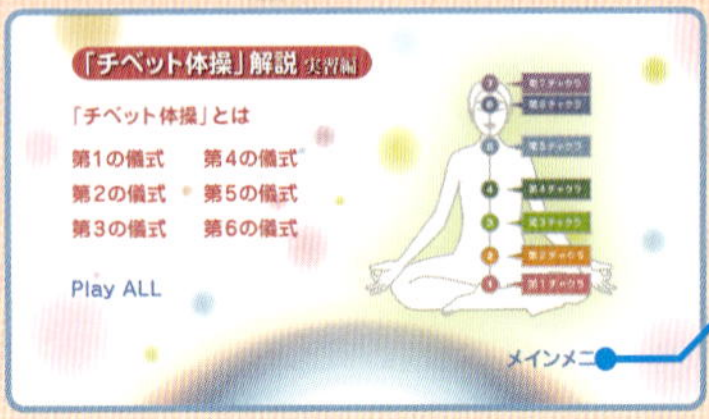

メインメニュー

メインメニューに戻ります。

DVD収録コンテンツ（計約 33 分）

チベット体操 基本の呼吸法（本文 P.10）

「チベット体操」解説 実習編

- 第1の儀式（本文 P.12）
- 第2の儀式（本文 P.15）
- 第3の儀式（本文 P.18）
- 第4の儀式（本文 P.21）
- 第5の儀式（本文 P.24）
- 第6の儀式（本文 P.28）
- 3つの引き締め（本文 P.27）

「チベット体操」 イメージ映像編

注 意

本書の付録 DVD は DVD ビデオです。DVD は映像と音声を高密度に記録したディスクです。DVD ビデオプレーヤーで再生してください。本DVDはDVDビデオ対応プレーヤーでの再生を前提に製作されています。DVD 再生機能を持ったパソコンでも再生できますが、動作の保証はできません。あらかじめご了承ください。ディスクの取り扱い、操作方法についてはご質問・お問い合わせは弊社にて回答に応じる責任は負いません。詳しい再生上の取り扱いについては、ご使用のプレーヤーの取扱説明書をご覧ください。ご利用は利用者個人の責任において行ってください。本 DVD 並びに本書に関するすべての権利は著作権者に留保されています。著作権者の承諾を得ずに無断で複写・複製することは法律で禁止されています。また、本 DVD の内容を無断で改変したり、第三者に譲渡・販売すること、営利目的で利用することは法律で禁止されています。

本書の使い方

呼吸のタイミング

吸う、吐く、止めるなど呼吸のタイミングを明記。

動き方の解説

各儀式や秘儀の手足などの動かし方を順序立てて解説

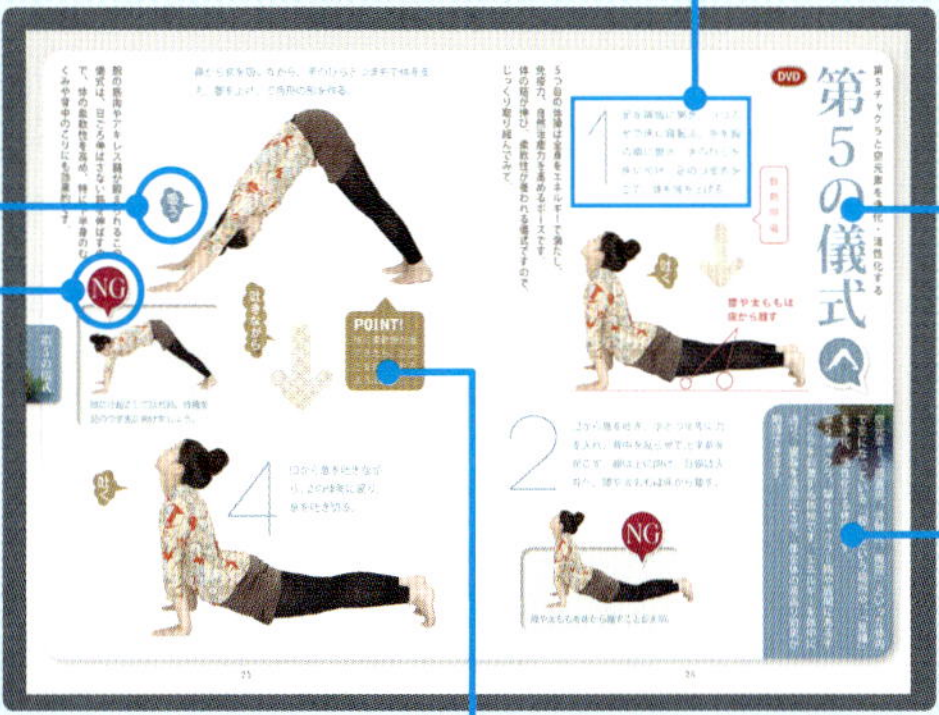

各儀式や秘儀の名称

1から6まである儀式と7つある秘儀の名称。

各儀式や秘儀の解説

各儀式や秘儀の解説で、どのチャクラを刺激しどのような効果を生むのかを解説。

陥りがちなNG例

チベット体操を行う上で陥りがちな動きを事例を明記して解説。

各儀式や秘儀の動きのポイント

各儀式や秘儀の動きのコツやポイントを紹介。

チベット体操の回数について

1日3回ずつから始めて、1週間ごとに2回ずつ増やしていき、最終的に21回ずつできるようにしましょう。その場合、第1の儀式は6回、第2の儀式は3回などにならないように、全ての儀式の回数が均一になるようにします。

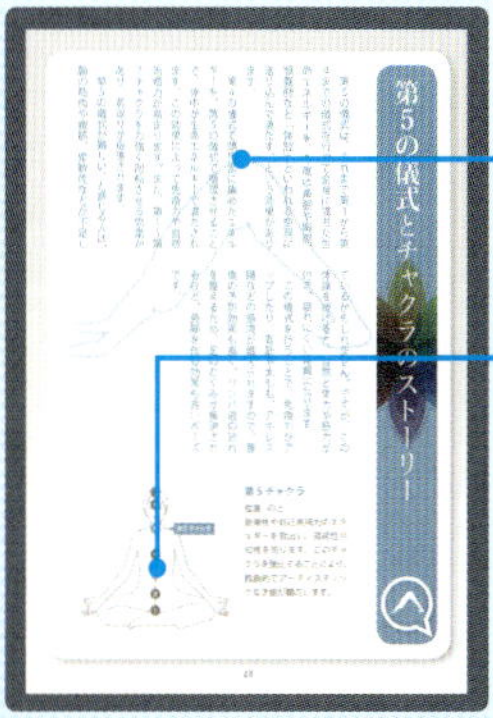

チャクラの解説と各儀式や秘儀を行うことによる効能

チャクラの解説

チャクラの解説。座像のイラストを使い、チャクラのポイントを示し、各チャクラの特徴を解説。

コンテンツ

2 はじめに
チベット体操との出会い
4 DVDの使い方
5 本書の使い方
6 コンテンツ

7 第1章 チベット体操 基本の6儀式
8 チベット体操 6つの儀式 ポーズ解説
10 チベット体操 基本の呼吸法と準備運動
12 第1の儀式
14 第1の儀式とチャクラのストーリー
15 第2の儀式
17 第2の儀式とチャクラのストーリー
18 第3の儀式
20 第3の儀式とチャクラのストーリー
21 第4の儀式
23 第4の儀式とチャクラのストーリー
24 第5の儀式
26 第5の儀式とチャクラのストーリー
27 第6の儀式（チベット体操 3つの引き締め、第6の儀式 基本の呼吸法）
30 第6の儀式とチャクラのストーリー

31 第2章 チベット体操 7つの秘儀
32 チベット体操 7つの秘儀 ポーズ解説
34 第1の秘儀
36 第1の秘儀でこう変わる
37 第2の秘儀
39 第2の秘儀でこう変わる
40 第3の秘儀
42 第3の秘儀でこう変わる
43 第4の秘儀
45 第4の秘儀でこう変わる
46 第5の秘儀
48 第5の秘儀でこう変わる
49 第6の秘儀
51 第6の秘儀でこう変わる
52 第7の秘儀
54 第7の秘儀でこう変わる

55 第3章 チベット体操 基本の6儀式 7つの秘儀 早見表
56 「チベット体操 基本の6儀式」の流れ
早見表
58 「チベット体操7つの秘儀」の流れ
早見表
62 おわりに
若いチベット僧との奇跡の巡り会い

第１章

チベット体操 基本の６儀式

チベット体操とは５つの儀式と１つの呼吸法から成り立っています。

この儀式を行うことで、顔や体はみるみる若返り、精神は前向きになり、よい出来事やシンクロニシティを引き寄せ「幸運体質」になるといわれています。

この６つの体操を、初めは毎日、それぞれ３回ずつから行ってみてください。

さあ、それでは始めましょう。

チベット体操

6つの儀式

ポーズ解説

第1の儀式

第1チャクラと地元素を浄化・活性化する

第2の儀式

第2チャクラと水元素を浄化・活性化する

第3の儀式

第3チャクラと火元素を浄化・活性化する

第6の儀式（呼吸法）

第6、第7チャクラを浄化・活性化する

第5の儀式

第5チャクラと空元素を浄化・活性化する

第4の儀式

第4チャクラと風元素を浄化・活性化する

チベット体操 基本の呼吸法と準備運動

チベット体操 基本の呼吸法

DVD

腹式呼吸は、日々の生活の中で誰もが自然に行っている呼吸法です。仰向けになって眠っているとき、人は皆、腹式で呼吸をしています。

仰向けになり、お腹の上に手を置きます。普通に呼吸をすると、お腹が膨らむのを感じることができると思います。この呼吸を意識して深く行いましょう。

できるだけ大きく息を吸い、大きく息を吐きます。何回かこの呼吸を続けてみましょう。この呼吸を立ち上がった状態で行うのが腹式呼吸です。

チベット体操の呼吸法は、

・鼻から吸う
・口から吐く
・自然呼吸

の3種類です。

体の動きと呼吸を連動させる準備運動1

腕と足を伸ばして、息を吸いながら両手を頭の上に伸ばし、吐きながらゆるめる。

体の動きと呼吸を連動させる準備運動2

右膝を立て、伸ばしたままの足の方向（左側）にお尻から倒します。上半身は右手を伸ばし、ウエストを捻るようにしながら、顔は倒した足と逆に向け、吸う、吐くの呼吸を繰り返します。

体の動きと呼吸を連動させる準備運動3

四つん這いになる。

息を吐きながら、お尻をかかとの上に乗せ、肩と背中を伸ばす。

体の動きと呼吸を連動させる準備運動4

四つん這いになる。

息を吸いながら背中を丸める。

息を吐きながら顔を天井に向け、背中を反らす。

体の動きと呼吸を連動させる準備運動5

スワイショー

肩幅に足を開いて立つ。

かかとを床に付けたまま、軽く膝を曲げる。

その状態のまま、両手を前と後ろに揺らす。

手を肩から左右に揺らし、体も首も後ろを向き、体を捻る。

第1チャクラと地元素を浄化・活性化する

第1の儀式

DVD

１つ目の体操は全身の細胞を活性化させます。
まず最初は右回りに３回転から始め、
慣れてきたら２回ずつ増やし、
最大 21 回転まで増やしてみましょう。

地の元素＝筋肉・内臓・骨を浄化し、活性化する体操です。第1チャクラ、第7チャクラを活性化＝尾てい骨と頭頂部にあるチャクラを刺激します。全身に活力を与え、若さを保つ効果が期待できます。

1

自然呼吸

両足をそろえてまっすぐに立ち、両腕を肩と水平になるよう、横に広げる。手のひらは下に向ける。

2

自然呼吸

3

自然呼吸

NG

腕が下がったり、ひじが曲がらないようにする。

4

1の姿勢をキープしながら、自然呼吸で、自分が決めた回数だけ右回りに回転する。
（最初は３回から始めて下さい）

自然呼吸

NG

かかとを上げず、足の裏全体を使って体を回転させる。

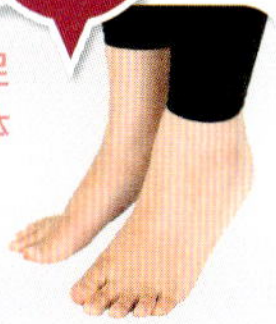

5

自然呼吸

最初は目が回ってしまうかもしれませんが、ゆっくりと少ない回数を回転することで、少しずつ慣れていきましょう。慣れてきたらできるだけ素早く回転を。

シャヴァア・サナ（屍のポーズ）【寝っ転がる】

回転したあとは目が回るので、収まるまで目を閉じて寝転ぶ。このとき、足は肩幅に開き、手のひらは天井に向ける。

POINT!
チベット体操は休みながら行うことも大切なのです。

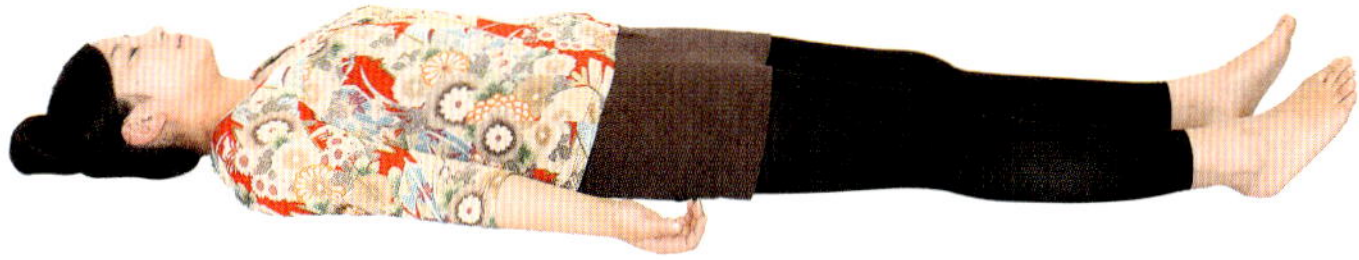

第1の儀式とチャクラのストーリー

チャクラは体の中心に7か所あり、それぞれの場所で高速で回転しているといわれています。第1の体操は、尾てい骨にある第1チャクラと頭頂部にある第7チャクラを活性化し、空と大地の「エネルギー」を取り込みやすくします。「生命エネルギー」とは、生命力や自然治癒力など、人間が健康に生きていれば本来発揮される力のこと。この生命エネルギーの働きを活性化することで、体の細胞ひとつひとつの動きが活発になり、新陳代謝が改善、全身の細胞が新たに生まれ変わるのを助け、若返りを促進します。

大地のエネルギーを取り込むためには、必ず時計回り（右回り）に回ってください。左回りは、体中のエネルギーを外に排出してしまい、逆効果なので要注意です。

第1の儀式がうまくできない場合は、生命エネルギーがうまく循環していない証拠。気持ちが悪くなったり、目が回りすぎるなどの不調は、第1チャクラ、第2チャクラ、第3チャクラが詰まっているサインです。この場合、注意すべきは、膀胱や腎臓、生殖器など下腹部の器官です。この体操を続けることで、これらの器官の不調が改善、元気になっていきます。

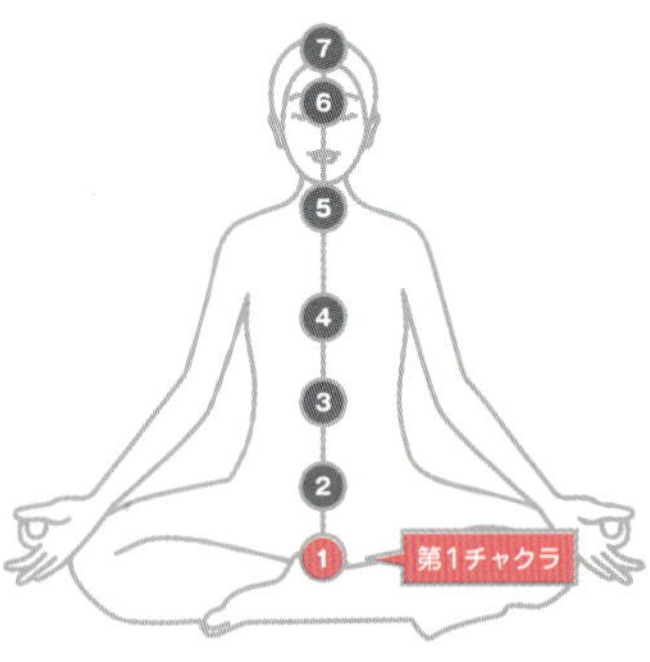

第1チャクラ

位置：尾てい骨、
　　　脊椎の一番下

「生存」を司るチャクラと呼ばれ生命の源。ここが弱まると疲れやすく、やる気や行動力が鈍ります。このチャクラを強化することにより、生命力やバイタリティがみなぎります。

第2チャクラと水元素を浄化・活性化する

第2の儀式

DVD

水元素＝体液・血液・リンパ液を浄化し、活性化する体操です。第2チャクラ、第1チャクラを活性化する＝おへその下にあるチャクラと尾てい骨を刺激します。生理不順や、更年期障害などの予防効果が期待できます。

1

自然呼吸

背筋を伸ばし、仰向けに寝転ぶ。足は閉じ、両腕は体のわきに付け、手のひらは床に向ける。

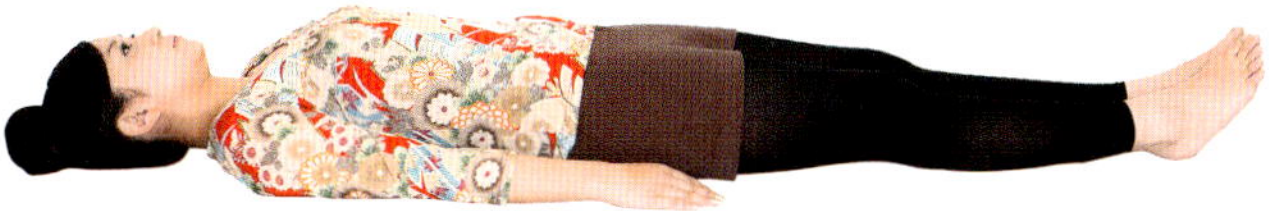

2

吸う

鼻から息を吸い込みながら首を持ち上げる。あごを胸元に付けるように意識をする。

POINT!

息を吸うときはおへそから指4本分下にあるツボ「丹田」を意識して力を込めると、首に余分な力が入らず、スムーズに首が動かせる。足を上げるときも同様に。

2つ目の体操は体の中を流れるリンパ液の流れを整えます。まず、息を吸いながら首を持ち上げ、そろえた両足を上げ下ろす動作は足のむくみにも効果が。

息を吸いながら頭を持ち上げ、
両足を持ち上げ、息を吐きながら足を下ろし、頭を下ろします。
シンプルながら腹筋に効果的な運動。呼吸を意識して。

3

鼻からさらに息を吸い込みながら、両足をそろえたまま足を床と垂直になる位置まで上げる。

膝が曲がらないように気を付ける。頭と足を同時に上げない。

お尻は床に付けたまま。浮かせないように気を付けて。

4

口から息を吐きながら、膝を伸ばしたまま両足をそろえて下ろし、頭をゆっくりと下ろすタイミングで息を吐き切る。

POINT!
同じ動作を最初は3回繰り返し、慣れてきたら2回ずつ増やして、最大で21回を目標に。

第2の儀式とチャクラのストーリー

第2の儀式は、チャクラに集めたエネルギーを体の中で循環させ、すみずみまで行き渡るようにするための体操です。リンパ液の流れを良くし、体内にたまった老廃物を排出する効果があります。

第1の儀式で、尾てい骨付近にある第1チャクラへエネルギーを充填しました。そのパワーを、今度はおへそから指4本分下にある「丹田」というツボの近くにある第2チャクラまで引き上げるのがこの体操です。

第2の儀式がうまくできないという人は、第1～第3チャクラの動きが弱っているか、腹筋の筋力が低下している可能性があります。情緒不安定にもなりやすいので注意が必要です。

儀式を行うことで、下腹部に集まる子宮や前立腺、腎臓や副腎の働きを活発に整えるため、月経痛や更年期障害、排尿のトラブルなどが改善される、という効果もあります。

また、足を高く上げることで、下半身のリンパ液を流し、足のむくみや水太りを改善します。腹筋と背筋、太ももの筋肉が強化されるため、お腹が引き締まり、腰痛を改善する効果もあります。首や肩の周りの筋肉も鍛えられ、血流が良くなるため、肩こりも楽になります。

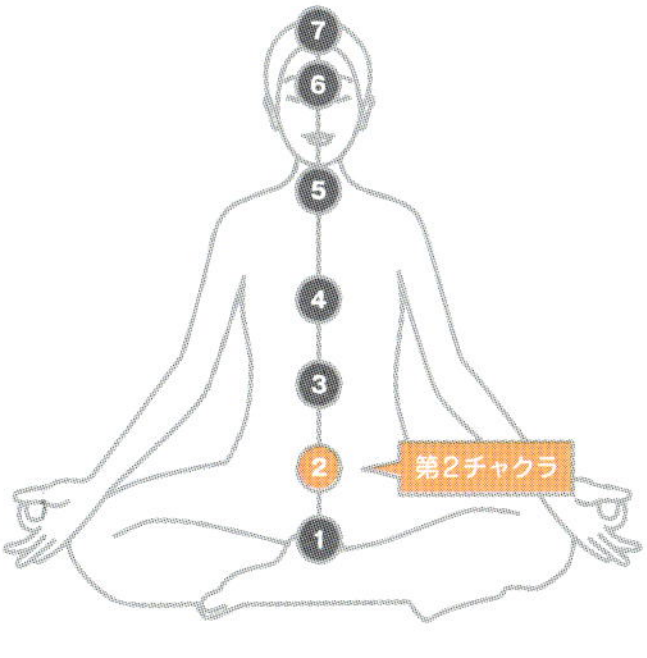

第2チャクラ

位置：丹田
（おへそから指４本分下）
感受性や情緒をコントロールするチャクラで「情愛のチャクラ」ともいわれています。人との繋がりを感じ異性への興味や恋愛に対する情熱が湧き、魅力を引き出すことができます。

第3チャクラと火元素を浄化・活性化する

DVD

第3の儀式

火元素＝「体温」を意味します。体の中をエネルギッシュにしてくれる体操です。第3チャクラ、第4チャクラを活性化する＝みぞおちと胸にあるチャクラを刺激します。消化器官を活発にし、ホルモンバランスを整える効果が期待できます。

1

肩幅くらいに開いて膝を付き、足のつま先を床に立てしっかりと踏ん張る。背筋を伸ばし、手はお尻に添えます。

3つ目の体操は全身の血液循環を促進し、体中に新鮮な酸素を送り届ける効果が。呼吸が深くなると、ホルモンバランスも整いやすくなります。

Check!

足の指先は寝かせず、しっかりと床を指で押し、支える。

吐く

2

頭を胸に倒しながら口から息を吐く。胸にあごが付くところで息を吐き切る。

足の指の筋肉を鍛えることで、下半身の気の巡りが良くなり、様々な体調不良を予防します。胸を開いて、大きく息をすることで、体のバランスが整い、細胞が活性化します。

吸う
↓
止める

3

鼻から息を吸いながら、上半身をゆっくりと後ろに反らせ、胸を天井に向けて開く。

2 に戻る

吐く

止めていた息を吐きながら頭を前へ倒す。（2の動作に戻る）

POINT!
ご自身の体と心の状態を感じましょう。

止める

4

反らせるところまで反らしたら、息を止め、そのまま上体を起こし1の姿勢に戻る。

POINT!
最初は、1～4の動作を3回行い、徐々に2回ずつ増やしていく。最大の回数は21回。

NG

膝を起点に上体を反らすのはNG。腰を意識して後ろに反らすこと。

第3の儀式とチャクラのストーリー

第3の儀式は胸郭や横隔膜を広げ、体のすみずみまで酸素を取り入れるための体操です。大きく後ろに反り、肩甲骨をぎゅっと真ん中に寄せるように動かすことで胸が開き、呼吸が深くなり、たくさんの酸素を体内に取り込むことが可能になります。ひとつひとつの細胞に新鮮な酸素を取り込むことで、個々の細胞が活発に働き出し、代謝がアップするのです。

第2の儀式で丹田まで引き上げたエネルギーを、今度は鎖骨やのどの辺りまで持ち上げて、甲状腺やのどの器官の働きを活発にしましょう。

中には、この儀式を行うと息が苦しくなったり咳が出たりする人もいるかもしれません。それは、第4チャクラと第5チャクラが詰まっている合図。このチャクラが司るのは肺や気管支、甲状腺です。しかし、深い呼吸が身に着けば、心肺機能が高まり、姿勢が整います。姿勢が正しくなることで、圧迫されていた内臓が正しい位置に戻り、働きが活発に。そして、呼吸が深くなると自律神経が安定し、ホルモンバランスも整いますので、子宮や前立腺など生殖器の働きも安定。また、上体を後ろに反らすので、首回りもすっきり。二重あご解消にも。

第3チャクラ

位置：みぞおちの少し下

自尊心や名誉のチャクラです。自己を確立しようとするパワーの源です。このチャクラを強化することにより、周囲からは存在感や能力、実力を認められます。

第4チャクラと風元素を浄化・活性化する

第4の儀式

DVD

風元素＝「気」を意味します。私たちの体内を流れる気の滞りをなくし、気を強める体操です。第4チャクラ、第5チャクラ＝胸やのどにあるチャクラを刺激します。全身のリンパの流れをスムーズにする効果が期待できます。

自然呼吸

1

両足を肩幅に開き、膝をまっすぐ伸ばし、背筋と足が直角になるように座る。手は肩の横にまっすぐ下ろし、手のひらを床に付ける。

NG

手は、指先を足のつま先に向けて床に付くこと。

吐く

2

口から息を吐きながら、あごを胸に付けるように頭を前に倒す。

3

鼻から息を吸いながら、そのまま頭を後ろに反らし、体と床が平行になるまで腰を持ち上げテーブルの形を作る。頭を反らし首も伸ばす。水平になったところで息を止める。

POINT!
肩こりが解消され、腰痛の予防にもなります。

体全体の筋肉を使う、通称人間テーブルのポーズは、慣れるまでは難しく感じるかもしれませんが、呼吸を意識して行ってみて。

吸う
↓
止める

4つ目の体操はエネルギーを体内にくまなく循環させ、体内の様々な器官の働きを活性化します。全身の筋肉を使うので、慣れるまではきつく感じることも。

息を止めたまま
2に戻り、
息を吐く。

腰が落ちないように。体が床と
平行になるよう一直線に伸ばす。

第4の儀式とチャクラのストーリー

第4の儀式は、体中の筋肉を使い、腰を持ち上げて頭を後ろに反らせたあと、通称「人間テーブル」のポーズを作ります。

腕の筋肉や腹筋の衰えにより、第5と第6チャクラが活性化していない状態でこの体操を行うと、鼻から息が吸い難くなったり、のどや耳の詰まりが感じられることもあるようです。

全身の筋肉を使って体を直角に曲げ、伸ばす部分はピンと直線に伸ばすこのポーズは、腹筋、背筋だけでなく、お尻の筋肉や肩、背中の筋肉を柔軟にし、引き締めます。

特にこのポーズをとる際に気を付けたいことは、肛門を締めること。臀部の筋肉を鍛えることで、全身にエネルギーがくまなく循環するようになります。

第3の儀式でのど元まで引き上げたエネルギーを、今度は頭頂部へ移動させます。そうすることによって、全身のエネルギーの流れを正常化し、体全体に生命エネルギーが満ちていけば、生命力がぐんと高まります。

第4チャクラ

位置：胸の中央

「ハートチャクラ」とも呼ばれ、愛情や思いやりなど、感情に関わるエネルギーが出入りしています。このチャクラが弱まるとネガティブになりやすく、行動力が削がれます。

第5チャクラと空元素を浄化・活性化する

第5の儀式へ

DVD

5つ目の体操は全身をエネルギーで満たし、免疫力、自然治癒力を高めるポーズです。体の筋が伸び、柔軟性が養われる儀式ですので、じっくり取り組んでみて。

1

足を肩幅に開き、うつぶせで床に寝転ぶ。手を胸の横に置き、手のひらを床に付け、足のつま先を立て、体を持ち上げる。

自然呼吸

2

口から息を吐き、手とつま先に力を入れ、背中を反らせて上半身を起こす。顔は上に向け、目線は天井へ。膝や太ももは床から離す。

空元素＝「頭蓋腔、骨盤腔、腹腔」といった体内で空になっている「腔」という場所や、「意識」を浄化、活性化する体操です。第5チャクラ、第6チャクラ＝胸や眉間にあるチャクラを刺激する体操です。エネルギーを体中に送り、臓器を活発にさせ、体全体の若返り効果が期待できます。

膝や太ももを床から離すことが大切。

腕の筋肉やアキレス腱が鍛えられるこの儀式は、日ごろ伸ばさない筋を伸ばすので、体の柔軟性を高め、特に下半身のむくみや背中のこりにも効果的です。

3

鼻から息を吸いながら、手のひらとつま先で体を支え、腰を上げ、三角形の形を作る。

吸う

NG

頭だけ起こしてはだめ。目線を足のつま先に向けましょう。

吐きながら

POINT!
体に柔軟性が出てきたら、かかとを付けられるように。

4

口から息を吐きながら、2の体勢に戻り、息を吐き切る。

吐く

第5の儀式とチャクラのストーリー

第5の儀式は、これまで第1から第4までの儀式を行って全身に満ちた生命エネルギーを、今度は鼻腔や胸腔、頭蓋腔など「体腔」といわれる空洞に送り込んで満たす、という効果があります。

　第4の儀式で頭頂部に集めたエネルギーを、第5の儀式で循環させることで、体中が生命エネルギーで満たされます。この効果によって免疫力や自然治癒力が高まります。また、第1〜第7チャクラを力強く回転させる効果があり、若返りが促進されます。

　第5の儀式が難しい、と感じる人は、腕の筋肉や腹筋、柔軟性などが不足しているかもしれません。ですが、この体操を続けると、自然と体力や筋力が付き、疲れにくい体質になります。

　この儀式を行うことで、免疫力がアップしたり、背筋や太もも、アキレス腱などの筋肉が鍛えられますので、腰痛の予防効果も高く、リンパ液の流れを整えるため、足のむくみが解消されるなど、美脚を作る効果も高いポーズです。

第5チャクラ

位置：のど

創造性や自己表現力のエネルギーを放出し、芸術性や知性を司ります。このチャクラを強化することにより、独創的でアーティスティックな才能が開花します。

第6、第7チャクラを浄化・活性化する

第6の儀式

6つ目の体操は、下垂した内臓をあるべき位置に戻したり、ゆがんだ骨盤を正しい位置に戻すなどの効果があるポーズです。

宇宙の意識と一体となっていく体操(呼吸法)です。第6チャクラ、第7チャクラ=眉間や頭のてっぺんにあるチャクラを刺激する体操です。儀式1から儀式5までの効果を一層強める働きがあります。

チベット体操第6の儀式では、肛門の引き締め、お腹の引き締め、のどの引き締め が大変重要になってきます。この運動で、この3か所の引き締め方を練習しましょう。

DVD

チベット体操　3つの引き締め

息を吸いながら、内臓を上に引き上げるように意識して、あばら骨が浮き出るまで、お腹を引っ込める。同時に肛門をぎゅっと引き締める。あごと鎖骨の中央をくっ付けるようにして、のども締める。

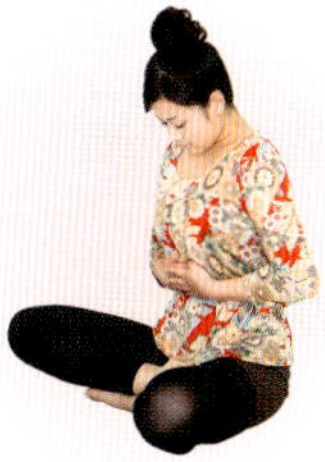

第6の儀式　基本の呼吸法

しっかりと息を吸い込んでから、肺の中の空気を全て吐き切るつもりで息を吐く。少し呼吸を整えてから繰り返す。

以上をマスターしてから第6の儀式を行いましょう。

DVD

1

足は肩幅に開き、膝を軽く曲げ、手は両膝の上に。この姿勢のまま口から息を思い切り吐き切り、息を止める。

自然呼吸

吐く

Check!

下腹部に力を入れて、腹圧を使い、肺の中の空気を全部吐き切ってから息を止める。

7つのチャクラをより活性化して、
魂のエネルギーを体に充填させるポーズです。

NG

必ず肩を上げ、
あごを胸に付け
のどを締める。

POINT!
ここで息を吸い込んでしまう人が多いので気を付けて。

2

息を止めたまま、上半身を起こし、手は腰に添え、内臓を押し上げるように意識して思いっ切りお腹をへこませ、肛門をぎゅっと締める。同時に肩を真上に上げ、あごを胸（鎖骨の中央にあるくぼみ）に付け、のどをぎゅっと締める。

3

吸う

POINT!
最初は、1～3の動作を3回行い、徐々に2回ずつ増やしていく。最大の回数は21回。

もう止められないというところまで息を止めたら、肩を落として力を抜き、鼻からゆっくりと息を吸う。
（これを最初の3回から、2回ずつ増やして、最大21回まで行う）

第6の儀式とチャクラのストーリー

第6の儀式は、これまでの儀式で活性化された7つのチャクラの動きを整えながら、より活性化させるための儀式です。この儀式には、続けることによって、衰えた筋肉を上に引き上げる、という素晴らしい効果があります。このポーズは、出産後の下腹部痛の軽減、骨盤のゆがみを改善し、整える効果や、下垂した内臓を正しい位置に戻す効果があります。

1のポーズのときに、お腹の腹圧を使って息を吐き切る、ということも大変大切なポイントです。下腹部に力を入れて、肺の中の空気を全部出し切ってから、息を止めましょう。

2のポーズでは意識する場所が多くて最初は混乱するかもしれませんが、どれも大切なポイントですので、ひとつひとつ確認をしながら儀式を行いましょう。

特に、お腹をへこませ、肛門を締める、という一連の動作は、生理不順や尿失禁を改善したり、出産後の下腹部の鈍痛を解消するなどの嬉しい効果があります。骨盤底筋など、生殖器周辺の筋肉の緩みを改善しますので、特に女性の体を若返らせるために良い儀式なのです。

第6チャクラ

位置：眉間

インスピレーションを生むチャクラです。このチャクラが弱まると集中力がなくなり、直感も鈍ります。強化することにより直感や洞察力が冴えて、アイデアの泉が湧き出します。

第7チャクラ

位置：頭頂部

第7チャクラは、祈りや瞑想で生み出される気が蓄積する場所。人格と霊性を統合するチャクラです。神秘的な領域、神なる存在と親密な関係を持ち、魂の本質的な生き方ができるようになります。

第2章

チベット体操　7つの秘儀

チベット体操のルーツである経典『ツァ・ルン・トゥ・コル』を元に生み出されたのが「7つの秘儀」です。チベット体操基本の6儀式をマスターした人は、この「7つの秘儀」を習得することで、より若返りの効果が顕著になります。最初は3呼吸から始め、徐々に10呼吸～20呼吸の間、姿勢をキープできるようにしましょう。

チベット体操

7つの秘儀

ポーズ解説

第1の秘儀

チャクラを刺激して免疫を高め生命力を養う

第2の秘儀

生命エネルギーの循環を円滑にし骨盤の歪みを改善

第3の秘儀

腹筋と背筋を強化して美しいボディラインを作る

第7の秘儀

深い瞑想を導き出す

第6の秘儀

リンパの循環を促し老廃物を排出し、美しさを保つ

第5の秘儀

体の柔軟性を高め座骨神経痛や腰痛の改善に繋がる

第4の秘儀

脇腹の筋肉に刺激を与えウエストラインを引き締める

チャクラを刺激して免疫を高め生命力を養う

第1の秘儀

第1の秘儀は、縮こまっていた背骨を伸ばすための体操です。体を伸ばす方向に目線を移動させて、体をぐんと伸ばしましょう。

自然呼吸

1

足を肩幅の広さに開いて立つ。

天井を見上げる

吸う

2

両手を組み、息を吸い込みながら天井を見て伸びをする。

呼吸は、最初はゆっくりと3回、吸いながら天井を見て、吐きながら床に手を付きます。

これを3回から始めて、10セットできるようになるべく深く大きな呼吸で行いましょう。

3

息を吐きながら、手を組んだまま、床に向けて両手を付ける。


POINT!

前屈のときは、手が床に付く人は床に付けてOKですが、体が硬く手を床に付けられない、という人は無理に床に付ける必要はありません。

この体操を続けるうちに柔軟性が高まり、手が床に付くように体が柔らかくなります。

4

床に両手を付け、息を吐き切ります。


POINT!

手を床に付けるときに膝を曲げないこと。

第1の秘儀でこう変わる

第1の秘儀は、「生存」を司る「第1チャクラ」を刺激して活性化し、体内に宇宙のエネルギーをしっかり取り込み、体内に循環させるための準備運動です。尾てい骨付近にある第1チャクラは、エネルギーの入り口といわれています。チベットでは、体の真ん中に「中央管」と呼ばれる、エネルギーを運ぶ管があるといわれています。中央管とは、通称「気の通り道」や「中央脈管」とも呼ばれるもの。そして、人の体の真ん中を同じように貫いているのは背骨です。ですので、生命エネルギーが中央管をまっすぐ上昇していけるよう、背骨を柔軟にし、ゆがみを整え、背筋をまっすぐに保つということが大切なのです。

この体操には、縮こまった背骨を伸ばし、体の中の気の流れを整える効果があります。上に伸びることで、縮んでいる背骨を伸ばし、骨と骨の間を広げ、軟骨をグーッと伸ばします。

ポイントは、天井をしっかりと見上げて首もまっすぐに伸ばすことと、骨と骨の間にある軟骨までもしっかり伸ばすこと。この最初のポーズでぎゅっと体を伸ばすことは、このあとに続くすべての秘儀に対しての準備運動ともいえますので、念入りに行いましょう。

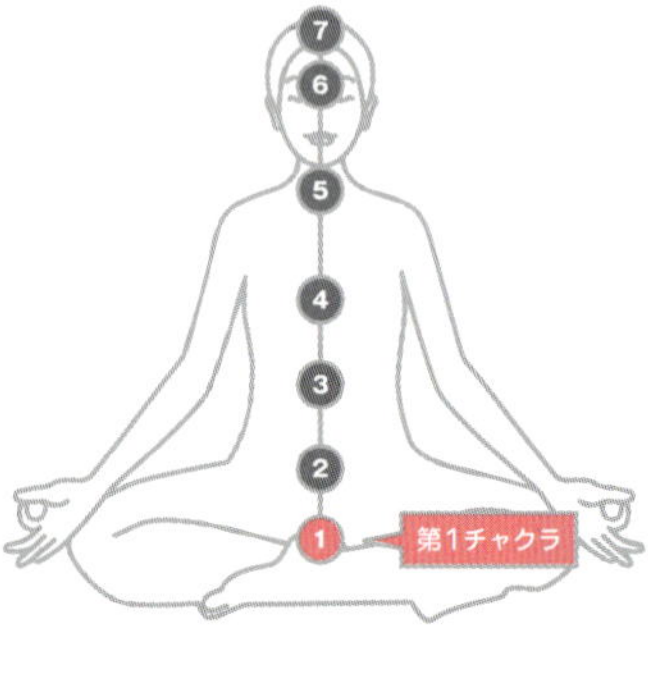

第2の秘儀

生命エネルギーの循環を円滑にし骨盤の歪みを改善

秘儀で大切なのは第7の秘儀の姿勢。その姿勢を正しく形作るために必要な、腹筋や背筋、足、腰の筋肉で体を支え鍛えます。

1 骨盤幅に足を開いて立つ。

自然呼吸

2 膝を少し曲げる。

背筋を伸ばし、
足腰の筋肉でまっすぐに支えましょう。
足が伸ばせない場合はまず、
片足で立つことに集中して、
筋肉を鍛え、慣れてきたら、
足を伸ばす練習をしてみてください。

3

左足を曲げ、
足の裏を手の
ひらで支える。

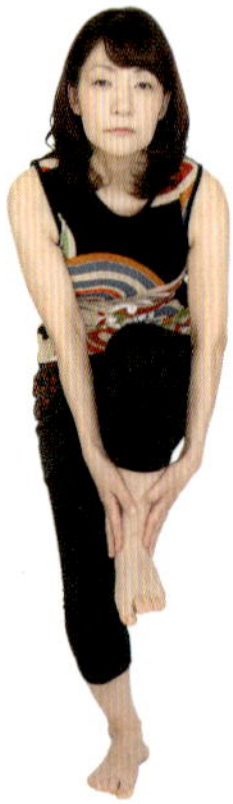

POINT!
足を前に伸ばすことが難しい場合は、まず、片足を支えたまま、立てるようにしましょう。

吸う

吐く

4

そのまま左足を体の前に伸ばす。足が地面と平行になるようにする。
最初は息を3回、ゆっくりと吸って吐いて、キープする。
（慣れてきたら10呼吸ほどゆっくり息を吸って吐く）
右の足も同様に行う

POINT!
足の膝の裏をきちんと伸ばすことを意識してください。伸ばすことで血流が活発になり、リンパの流れも良くなります。

第2の秘儀でこう変わる

第2の秘儀は、「恋愛のチャクラ」と呼ばれる第2チャクラを活性化する重要なポーズです。第2チャクラは、水元素を意味し、血液やリンパ液などを司る、おへその下指4本分の場所にある、丹田と呼ばれる場所にあります。ここは全身の気が集まり、蓄えられる場所ともいわれています。別名、「婚活のチャクラ」とも呼ばれているそうで、「恋人がほしい、結婚したい」という人はこの第2チャクラを活性化すれば、ロマンティックな性格になれる、とも。

第2の秘儀で大切なのは「バランスをとる」ということ。丹田にきちんと力を込めないと、片足でバランスをとって立つことが難しいのではないでしょうか?

片足で立ってもふらつかないということは、腹筋や背筋、足の筋肉など、基礎的な筋肉がきちんと付いている、という状態です。バランスをとりつつ片足で立つことで、大腿四頭筋という太ももの大きな筋肉やふくらはぎのひらめ筋などが鍛えられます。

この第2の秘儀で大切なことは、腹筋や背筋、足腰の筋肉を使って上半身をまっすぐに支える筋力を付けることです。腰の筋肉、お尻の筋肉も鍛えられるポーズです。

腹筋と背筋を強化して美しいボディラインを作る

第3の秘儀

上半身が床と平行になるよう、腰から直角に倒します。背筋と腹筋をしっかり使って体を支え、姿勢をキープしながら腕を動かします。

POINT!

膝が曲がっている状態では力が入らないので、膝を伸ばすこと。きちんと下半身で立ち、上半身を支える立ち方も大切。背中や腰の筋肉がないと、体をまっすぐに保つことが難しいので、鏡を見て、体の直角のラインを意識しましょう。

自然呼吸

1

骨盤幅より広めに足を開く。

吐く

2

腰を直角に曲げ、息を吐きながら、ひじを軽く曲げた手を、平泳ぎの要領で顔の前に伸ばす。

背中、肩、ひじ、腕が床と平行になるように、
腰は直角に曲げ、膝を伸ばします。
腹筋、背筋、腕、足、腰、体中の筋肉を使う体操です。
体の中心軸の筋肉が鍛えられます。

僧帽筋や広背筋を鍛える効果が高い運動なので、腰痛や背中の張りの防止にも役立ちます。

3

息を吸いながら、
手を体の横に戻す。

正面から見たポーズ

背中がななめになったり、丸くなるのはNGです。膝を伸ばして。

第3の秘儀でこう変わる

第3チャクラは火元素を象徴します。火元素は、体を代謝したり、食べたものを火の熱によって燃やしてくれる効果が。このチャクラが活性化されると、たくさん食べることができて、食べたものをきちんと燃やすことができます。人間的にも強い生命力が宿りますので、鬱の症状の改善には、このチャクラを活性化させると良いともいわれます。この第3チャクラの別名は「権力・出世のチャクラ」。たとえば実現したい夢があるという人、自分の人生思い通りにならないな、と感じる人は、この第3チャクラを活性化することで、行動力に変化が訪れるかもしれません。

この秘儀のポイントは「体を腰から直角に倒すこと」。ここで「直角」を意識することで、背筋と腹筋をフルに使い、同時に背筋をまっすぐに維持しようとすることで腰の筋肉も鍛えられます。腹筋と背筋を使って上半身を支え、背筋をまっすぐに保つ、ということは、体の中心軸（コアマッスル）を鍛えることと同様の効果があります。直角に腰を折って手を動かすことで、腹筋と背筋、腕の筋肉、足、腰の筋肉をまんべんなく鍛えることができるのがこのポーズなのです。

第4の秘儀

脇腹の筋肉に刺激を与えウエストラインを引き締める

ひじを組んだ足の膝に引っ掛けて、腰を捻ります。普段はあまり意識しない腰の大きな筋肉の緊張をほぐし、リラックスさせます。

1

足を前に投げ出して座る。

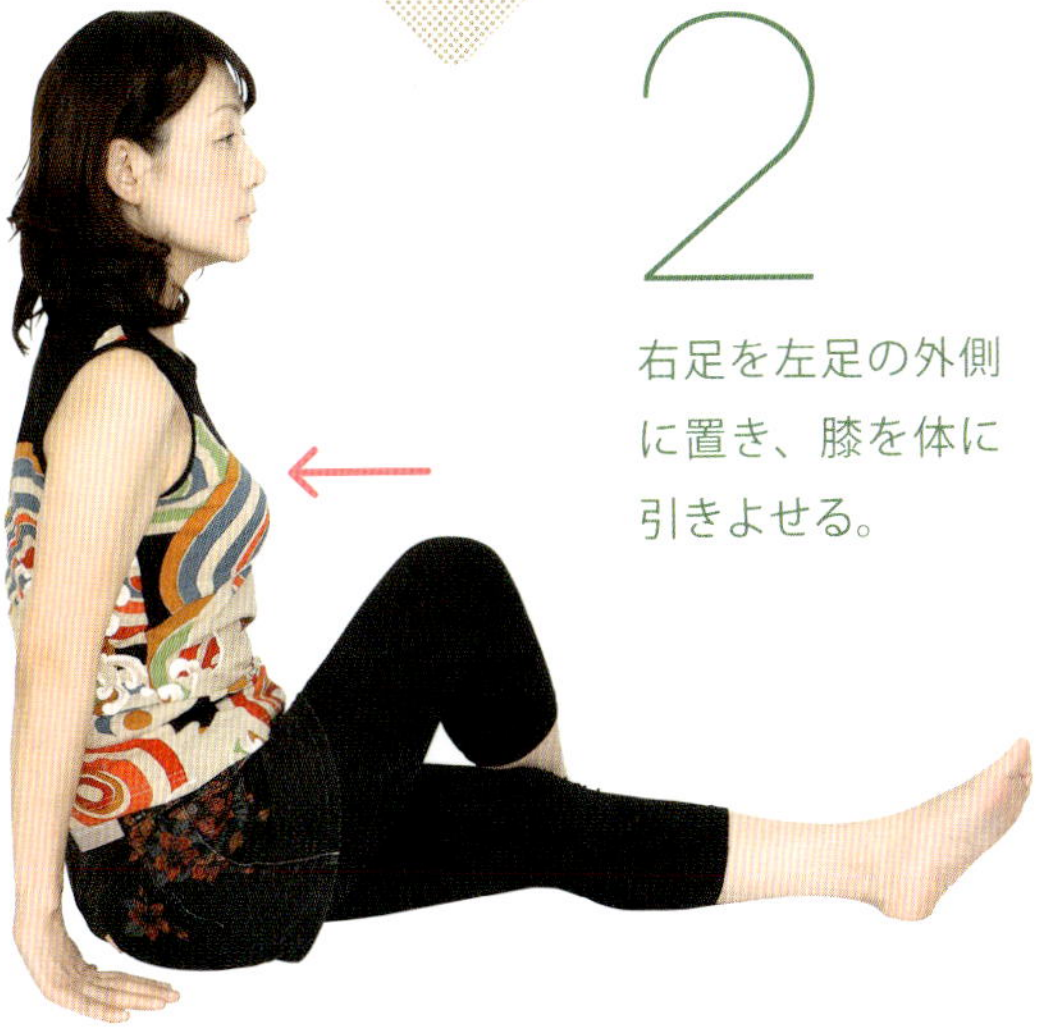

2

右足を左足の外側に置き、膝を体に引きよせる。

3

左のひじを、右足の膝に引っ掛け、手を体の前で合掌させながら、体を右横に向け、捻る。

自然呼吸

体が硬く胸の前で手を合わせるポーズがやりにくい、という場合は、手を床に付けるだけでもかまいません。ゆっくり呼吸をして、十分に体の筋肉が伸びるのを感じて、慣れてきたら、胸の前で合掌をしてみましょう。

背中から見たポーズ

POINT!
合掌ができない人は、両手を床に付けても OK。
背筋をきちんと伸ばすこと。

左も同様に行う

第4の秘儀でこう変わる

第4の秘儀は「慈愛とハート」を司る第4チャクラを活性化する体操です。ハートチャクラは、人類愛や無償の愛など大きな愛を象徴する場所です。腰をぎゅっと捻りますので、腹斜筋を鍛え、ウエストを細くする効果が高いポーズです。お尻の筋肉を伸ばすポーズでもあるので、柔軟性を高め美尻に導きます。また、胸の前で合わせた手のひらを、ひじを張って押し合うようにすることで、バストアップ効果も期待できます。

このポーズでは、足を伸ばして座った状態で、伸ばした足に片足を引っ掛けます。このとき、まず背筋をきちんと伸ばし、引っ掛けた方の足はなるべくお腹に寄せます。この状態でウエストを捻ることが大切です。前と後ろから背骨を支える腹筋と背筋を意識しながら背筋をまっすぐ伸ばすことで筋肉が鍛えられます。背中が丸まったまま腰を捻っても効果が薄いので注意しましょう。

伸ばしている方の足もきちんと意識して、膝を曲げずにピンと伸ばすことが重要です。伸ばした足に、片方の足を引っ掛けるときは、なるべくお腹の方へ足を引き寄せることで、お尻の筋肉のストレッチ効果がより増強します。

体の柔軟性を高め座骨神経痛や腰痛の改善に繋がる

第5の秘儀

お尻から足、ふくらはぎのこり固まった筋肉を柔らかくほぐします。呼吸を意識して、足全体の筋肉をストレッチしましょう。

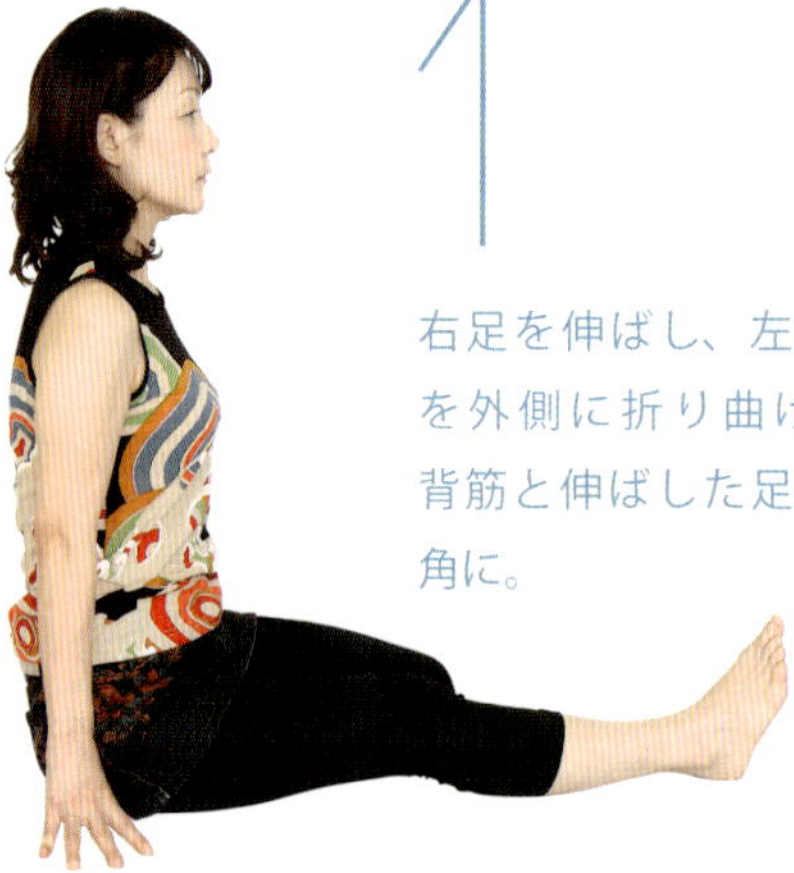

1

右足を伸ばし、左の膝を外側に折り曲げる。背筋と伸ばした足は直角に。

2

伸ばした足を胸の方に曲げて、つま先を摑む。(つま先を摑めない場合は、膝を摑んでも足首を摑んでもOK)

体が硬く、つま先が掴めても
足をまっすぐに伸ばせない、という場合、
最初は膝を掴んで、足を伸ばすだけでも大丈夫です。
ゆっくりと深く呼吸をして、
筋肉を伸ばしていきましょう。

自然呼吸

ゆっくり吸って、ゆっくり吐く呼吸を10セット行えることを目標に、ゆっくり伸ばす。

3

そのまま、右足をまっすぐに伸ばす。
(伸ばせない場合は、少し曲がったままでもOK)

POINT!
足を無理に高く上げる必要はありません。大切なのは腹筋と背筋を使って背筋をまっすぐに保つことと、膝をまっすぐに伸ばすことです。

左足も同様に行う

第5の秘儀でこう変わる

第5チャクラは「芸術・コミュニケーション」のチャクラです。音楽や絵画などの芸術的な才能を生かしたい人はこのチャクラを活性化しましょう。コミュニケーションに悩みがある人も、このチャクラを活性化してみましょう。

この5番目の秘儀に到達するまでに、体の中には大きなエネルギーの渦が生まれてきているはずです。このエネルギーを意識し、中央管を通じて体の下から上へ、エネルギーを引き上げるポーズが、この「第5の秘儀」です。

足を伸ばすポーズでは、体のコアマッスルを意識しながら、腹筋と背筋を意識して背筋をまっすぐに伸ばしたまま、膝を伸ばします。足を高く上げる必要はありません。小学校の組体操で行ったV字バランスのようなポーズだと思って行いましょう。

左右の足を持ち上げて行うこのポーズでは、体の中央を流れ、エネルギーの通過する場所「中央管」（経絡、チベット体操でいう脈管）だけでなく、その両横を走る、左管、右管の詰まりをとることも大変重要とされています。左足を持ち上げることで左の管の流れを良くし、右の足を上げることで、右の管の流れを良くします。

リンパの循環を促し老廃物を排出し、美しさを保つ

第6の秘儀

股関節の柔軟性を高める体操です。背筋を伸ばし、胸を張ることを意識すると、お尻や背中、お腹の筋肉が引き締められます。

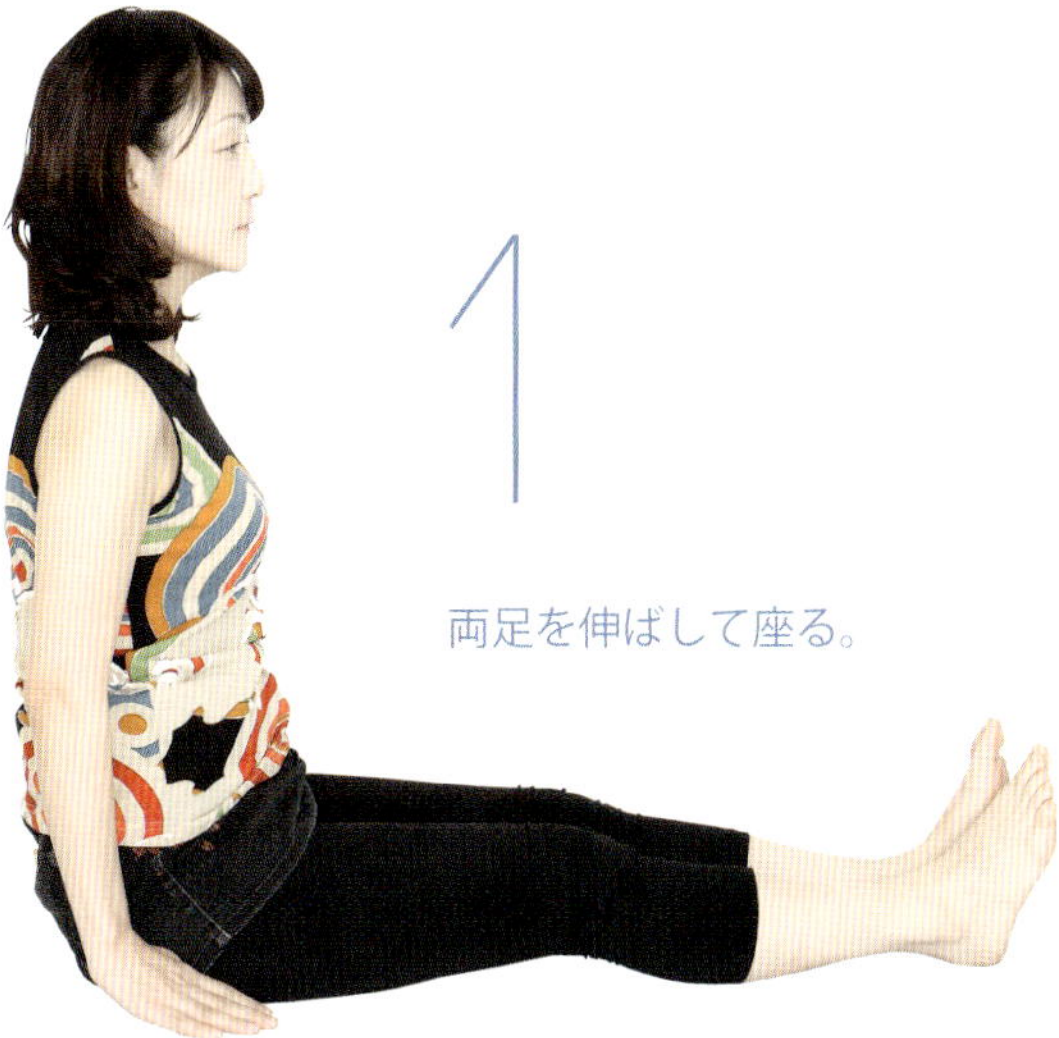

1

両足を伸ばして座る。

2

両足の裏を軽く合わせ、足を体の前に引き寄せ、ふくらはぎの裏から手を入れ、足首を掴む。

足を持ち上げながら、胸を張り、背筋を伸ばしましょう。
ポイントは、視線を正面の1点に集中させ、そこを見続けること。
ゆっくりと深い呼吸を繰り返す間、
この姿勢をキープして、股関節を柔軟にしましょう。

3

自然呼吸

そのまま、お尻を起点にして、
背筋を伸ばし胸を張りながら、
両手で両足を持ち上げる。

ゆっくり吸って、ゆっくり吐く呼吸を10セット行えることを目標に、姿勢をキープする。

正面から見たポーズ

NG

肩が上がってしまうのはNG。
背中が丸まってしまうのもNG。

第6の秘儀でこう変わる

眉間にある第6チャクラは「直感力」を意味します。この第6チャクラを活性化することでインスピレーションが高まり、頭脳が明瞭、明晰になるといわれています。

この第6の秘儀では、まず、背筋をまっすぐに伸ばし、エネルギーの通り道である中央管をまっすぐに確保することが重要です。エネルギーが生み出される、尾てい骨の第1チャクラから、眉間にある第6チャクラまでエネルギーを引き上げることを意識しながら、エネルギーの通り道を作ってみましょう。

まずは背筋を伸ばし、顔は正面に向け、1点を見つめます。胸を張って下腹部の筋肉を使い、お尻に重心を集中させ、両足を床から離します。

このポーズのポイントは、背筋をすっと伸ばし、足はなるべく会陰（外陰部と肛門の間の部分）の方へ近付けるということ。まずは正しく腹筋と背筋を使い、背骨をまっすぐに伸ばし支えることで、上半身をまっすぐに保つための基礎的な筋肉が鍛えられます。エネルギーを上へ上らせることを考える前に、まずは、正しい姿勢を維持するための筋力を育てることも大切なのです。

また、このポーズは、股関節の柔軟性を向上させるためにも効果の高いポーズです。

深い瞑想を導き出す

第7の秘儀

第1から第6までの秘儀を行ってきた皆さんの体には、今、エネルギーがみなぎっています。瞑想を行い、体中にエネルギーを循環させましょう。

1

片足をももの上に上げる。

POINT!
足が組めない場合は、片足だけでもOK。

2

下の足を上げ、足をしっかり組む。

3

半眼（見ているようで見ていない目）で、視線は正面より少し下に向ける。
舌の先を上あごに付けて口を閉じ、ゆっくり鼻から吸って、鼻から息を吐く。
中央管に生命エネルギーが駆け巡るので、少しでも長い間、このポーズを続けること。

POINT!
舌の先を上あごに付けて口を閉じる。

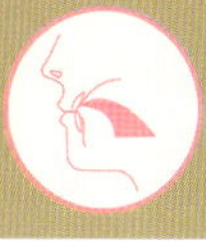

背筋を伸ばす

POINT!
瞑想の正しい姿勢がとれるようになる。尾てい骨から湧き上がる生命エネルギーを頭上の第7チャクラまで届けるため、背筋を伸ばして行うこと。

舌の先を上あごに付けて呼吸をすると、唾液の分泌が促進されます。唾液は「甘露」とも呼ばれ、東洋医学では生命エネルギーの源です。若返り効果がさらにパワフルに促進されます。

第7の秘儀でこう変わる

第7チャクラは人格と霊性の統合を司るチャクラです。この第7の秘儀では瞑想を行い、尾てい骨の周り、足回りに生まれた強い生命エネルギーを中央管に導きます。この体操を行うことで気力が充実し、体中が強い気に満ちた状態になるので、若返りに大変効果的です。

　これまで、第1から第6の秘儀を行うことで、中央管と各チャクラをクリーニングし、体の中に生命エネルギーを充満させてきました。このエネルギーを、第1チャクラから第7チャクラまで上らせて、体内を循環させることが、この7つの秘儀の目的でした。

　寺院で修行するチベットの僧侶がこの瞑想のポーズで空を飛ぶのを見た、という逸話もあるほど、7つの秘儀を行ったあとは、体内を「空も飛べるほど」のエネルギーが駆け巡ります。

　このポーズをとるころには非常に体が熱くなり、体の中に渦巻く生命エネルギーを強く感じると思います。

　尾てい骨のチャクラから発生した生命エネルギーが中央管を上って、頭頂のチャクラまで駆け巡るように「瞑想」をすることが第7の秘儀です。このポーズでは、中央管にエネルギーがきちんと上るよう、腹筋と背筋で引き締めながら、背筋を伸ばして行うことが大切です。

　そして、このポーズで特殊なのが、舌の先を上あごに付ける、ということ。口の中でこのポーズを行うと、下あごに唾液が溢れてきます。チベットでは、唾液は生命エネルギーの象徴で、仏教では「甘露」とも呼ばれています。実は、これには根拠があり、唾液に含まれているパロチンという成長ホルモンには若返りの効果があります。唾液の量が減り、口の中が乾燥すると、体の中に様々なウィルスが侵入しやすくなります。唾液をたくさん出すことで、免疫力が上がり、生命力が強靭になるのです。

第３章

チベット体操
基本の６儀式
７つの秘儀　早見表

ここでは、６つの儀式と７つの秘儀の流れが一目見てわかるように、体操のポーズをコンパクトにまとめてあります。ポーズがわからなくなったら、このページで確認をしましょう。

「チベット体操 基本の6儀式」の流れ 早見表

第1の儀式

第2の儀式

第3の儀式

第4の儀式

第5の儀式

第6の儀式

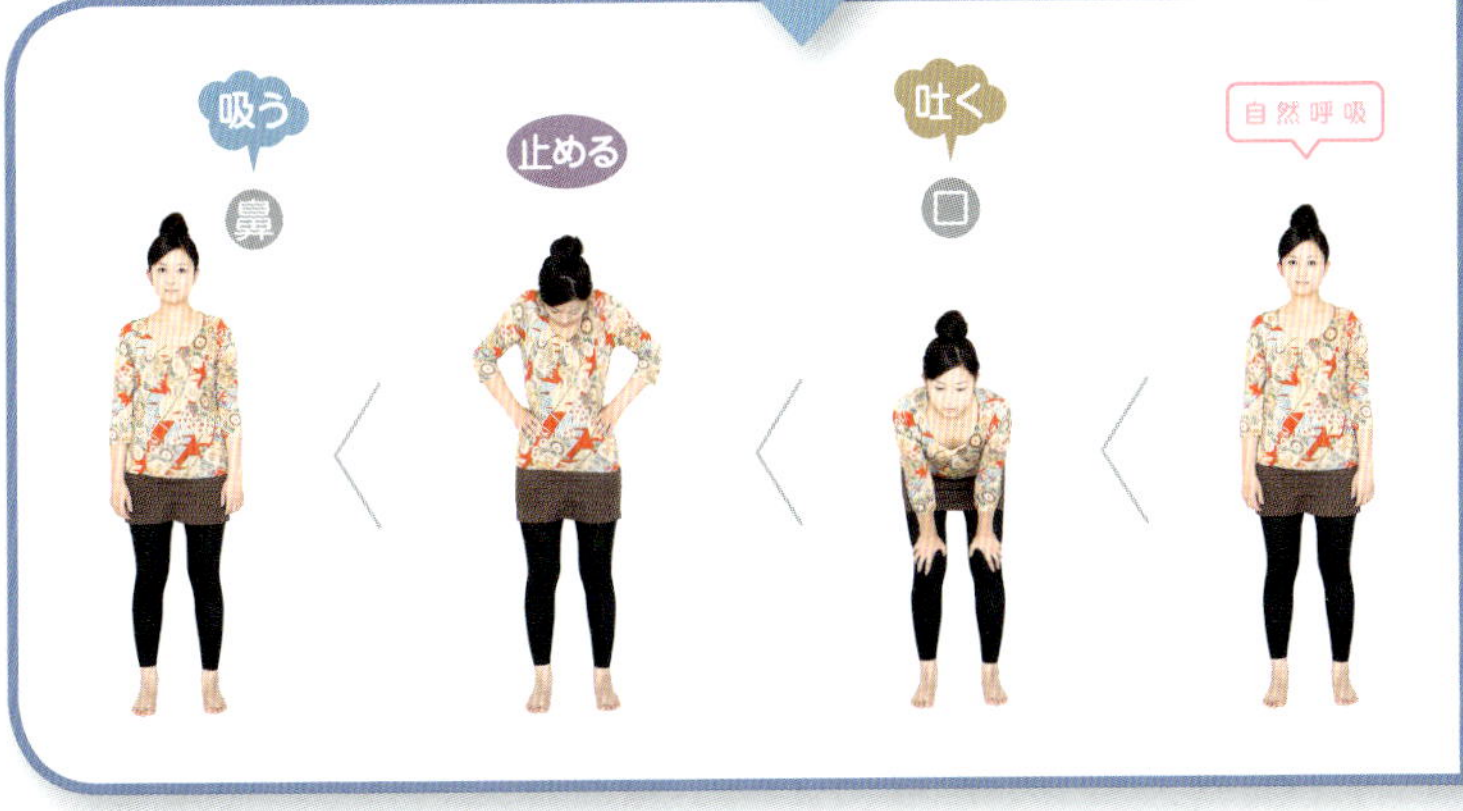

「チベット体操 7つの秘儀」の流れ 早見表

第1の秘儀

第2の秘儀

自然呼吸

吐く　吸う

口　鼻

ゆっくりと3回（→10回）

第3の秘儀

自然呼吸

吐く

口

吸う

鼻

第4の秘儀

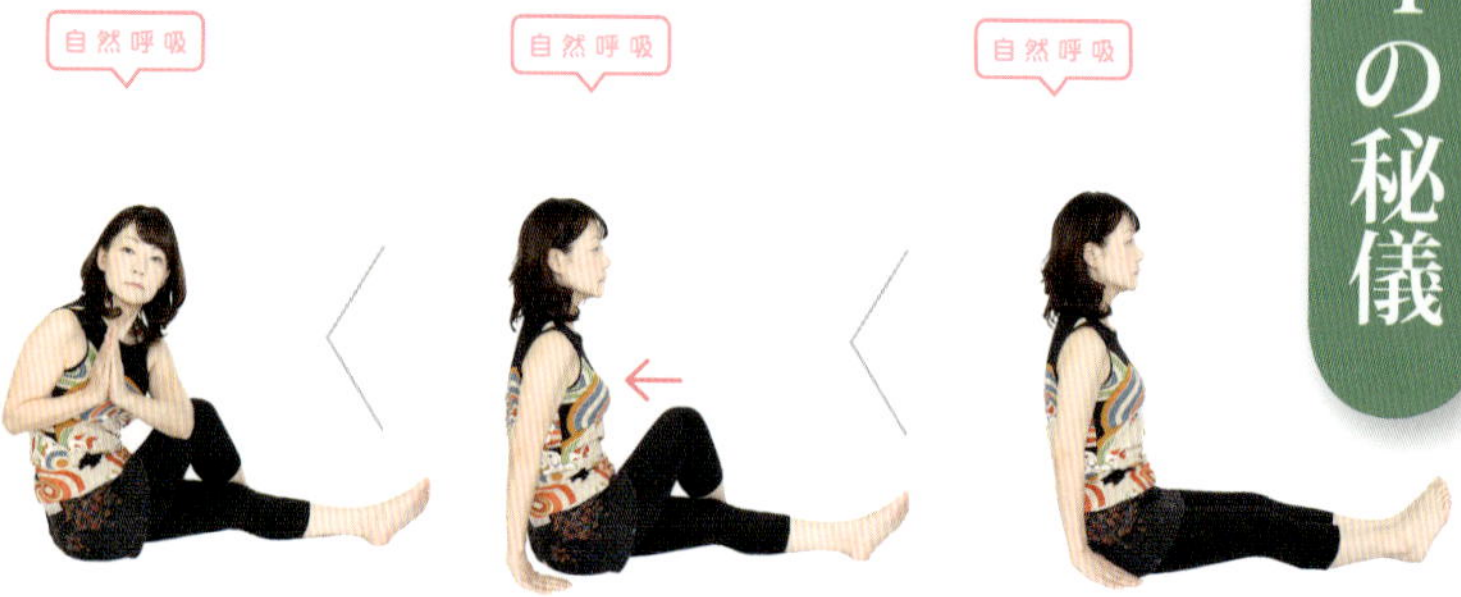

第5の秘儀

第6の秘儀

ゆっくりと10回

第7の秘儀

おわりに

若いチベット僧との奇跡の巡り会い

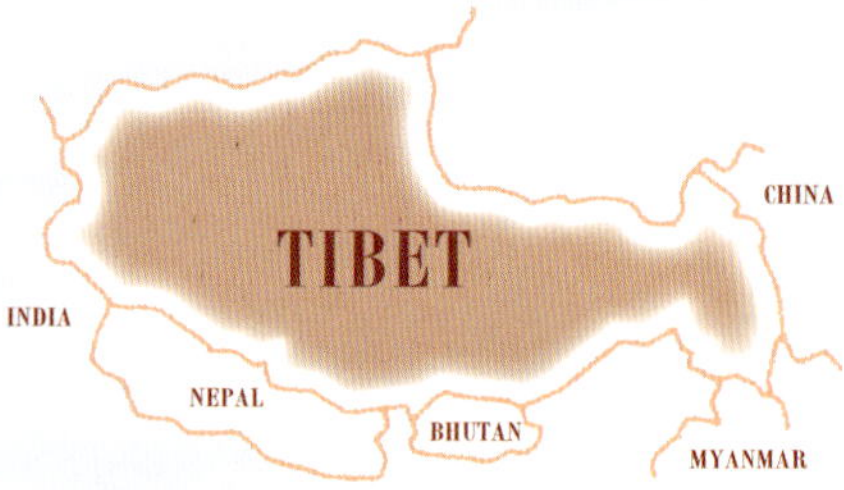

鍼灸院を経営していた関係から東洋医学は身近にあったのですが、チベット体操をきっかけにしてチベット医学についても勉強するようになっていました。

チベット医学を理解するためには、チベット仏教の理解も求められます。

そこで、チベットの僧侶やリンポチェの元で瞑想の指導を受けたり、灌頂《かんじょう》を受けたりしていました。そんな中、カーラチャクラ・タントラ・イニシエーションがあることを知り、16日間に渡って、インドでレッスンを受けることにしました。

カーラチャクラ・タントラ・イニシエーションというのは、チベット密教の最奥義であり、ダライラマ法王が行っている灌頂です。

毎日、朝早くから瞑想と教えを授けていただき、大変、有意義な16日間となりました。

レッスンの合間に、「一生に一度は、訪れたほうが良いと言われている素晴らしい場所があるから行きましょう」と誘われ、バスで12時間ほど離れたところにあるナーガールジュナ公園という場所に行きました。

大変、静かで美しく、まさに極楽浄土と言えるような素晴らしい場所でした。

その公園には、フェリーで渡るのですが、たまたま若い僧侶の方と知り合いになりました。目元が涼しく、瞳が澄んでキラキラと輝き、大変、美しい、素敵な方でした。

レッスン会場は、世界中の僧侶、インド中のチベット人たちが集まるので、2万人くらいの会場だったのですが、その日からその僧侶の方とは、頻繁にお目にかかるようになり、たくさんお話をさせて頂くようになりました。

そんな中、同行者のうち、一人が突然、体調を崩してしまったのです。その時もその僧侶の方がトゥクトゥクというタクシーと交渉して、体調を崩した友人をホテルへ送り届けて下さいました。

最後の日、様々なタイミングで助けていただいたお礼にドネーション（寄付）をさせて頂きたいと申し出ましたが、辞退され、ただただ、微笑まれるだけでした。

帰国後に、私は、チベット語の恩師であるガウンウースン先生から「あなたが探しているのは、これではないですか？」と、一冊の経典を授けられました。

それは、「ツァ・ルン・トゥ・コル」というチベット体操のルーツであるニンマ派の経典でした。実は、インドで出会った僧侶も不思議なことにそのニンマ派だったのです。

その僧侶の方が私をチベット体操のルーツに導いてくれたように思いました。

チベット体操と出会った人は、みな、その時の自分に必要な人と必要な縁が結ばれることが多いようです。

毎日、チベット体操を続けて、自分の体と向き合い、魂を研ぎ澄ますことによって、その時のあなたに必要な人、物、出来事と出会えるようになります。誰もが魂からのメッセージを受け取ることが出来るようになるのです。

あなたの望む未来を実現させるために、是非、チベット体操を毎日の習慣にしてみてください。

明日から何かが変わるはずです。

チベット体操協会代表　岡本羽加

★灌頂…①頭の頂に水を灌ぐ儀礼。②雅楽などで奥義や秘伝などを伝授すること。

監修

東洋医学博士

チベット体操協会 代表

岡本羽加

チベット体操協会 公認

企画：倉谷宣緒

編集：半田一成

本誌撮影：梅木麗子

デザイン：島田イスケ、島田美樹

執筆：スージー M

モデル：古屋雅子（インストラクター）

メイク：ZENI.

[映像制作]

企画・製作：佐々木秀夫　野口典夫

企画・プロデューサー：倉谷宣緒

演出・編集：羽野暢

撮影・照明：早坂伸（J.S.C.）

録音：日高成幸

ヘアメイク：堀ちほ　小坂美由紀　工藤美加子

オーサリング：横山拓矢

出演（解説実習編）：岡本羽加、古屋雅子

出演（イメージ映像編）：星ようこ、駒木菜穂、稲垣拓哉

衣装協力：Pagong　SANJO

ロケ協力：

制作プロダクション：べんてんムービー

映像著作：© 2012 チベット体操プロジェクト

スピリチュアル・エクササイズ

DVD付き **チベット体操** **若返りの秘儀**

2013年3月20日　初版印刷
2013年3月30日　初版発行

監　修　岡本羽加
発行者　小野寺優
発行所　株式会社 河出書房新社
〒151-0051　東京都渋谷区千駄ヶ谷2-32-2
電話　(03)3404-8611[編集]　(03)3404-1201[営業]
http://www.kawade.co.jp/
印刷・製本　三松堂株式会社
Printed in Japan ISBN978-4-309-27393-8

本書の内容に関するお問い合わせは、お手紙かメール（jitsuyou@kawade.co.jp）にて承ります。恐縮ですが、お電話でのお問い合わせはご遠慮くださいますようお願いいたします。